曾衍東評傳

伯華題

U0114209

周金冠 著

曾衍東評傳

華寶齋書社

蒼山行旅

鍾進士圖

曾衍東評傳目次

曾衍東評傳

有些書畫家，生前坎坷，死後纔被逐步認識，稍遠些如明之徐渭，而近代則有任伯年。也有些書畫家，不但生前景況凄涼，死後尚且被貶，世之不公，何其如此。

稍晚於『揚州八怪』的清中葉，也出現了一位類似的怪人，遭遇困頓，為了生活，走向了賣字賣畫的命運。他潔身自好，不肯同流合污；同情勞動人民，反映他們的心聲。他畫怪，詩怪，字更怪，一枝狂放的筆，人稱其怪，如鄭板橋一派，其怪，實包含着進步的因素，他就是曾衍東。

一、曾衍東其人

曾衍東（一七五一——一八三一？），山東嘉祥人，是曾子的六十七世孫。字青瞻，一字七如，號鐵道人，又號七如道人、七道士，也印署七如居士、冰父山人等。謂七如者，意為花、酒、琴、棋、詩、字、畫無不如心，柴、米、油、鹽、醬、醋、茶則無一如意。他困頓的一生，大致為：

一七五一年出生（清乾隆十六年），早歲隨父（名尚渭）宦遊江南。其父先後任大同縣丞、福建汀溫鹽官、廣東保昌與三水的縣丞、博羅縣令等。一七七四年（乾隆三十九年）曾衍東二十四歲時，父母均客死在外，他奉梓歸葬山東故里，并在家種蒜苗為生，又改業教塾，在嘉祥城中北街山後築居室名『小豆棚』也稱『雨絲草堂』和『桂馥書屋』。一七九二年（乾隆五十七年）曾衍東四十二歲，中舉人。按清乾隆十七年的規定，會試後揀選取應考三次不中的舉人，入一等者以知縣試用，入二等者以教職銓補，稱舉人大挑。一八〇〇年（清嘉慶五年），他已五十歲，以大挑一等先授湖北北部某縣知縣，不久調任咸寧縣，到縣後，他知咸寧民情健訟，自記云：『而學校秀才包訟，名曰「包户」，與官為仇，豺與虎争食同。余理訟後政暇，遇此等人輸款案上，隨意書畫大忠大孝古語、人物形象，或扇或紙，貽之皆忻然而散。去咸寧一年，訟幾乎息，而包訟之人多擱筆閉户，懸余書畫，終日不預他人事，或携家而遠徙者，是又書畫之有政也，豈獨書畫云乎哉！去咸五年，尚有余家坪求畫者。』寫的極為生動，此期間以書畫去感化人，消除了許多矛盾，直到去咸五年，仍有人向他求畫，此期間是他最為得意時，不僅政令上，還是在書畫與詩文上，并著有《啞然絶句》與《七如題畫小品》均手寫刻版印行，流傳至今。開創了《今畫》論學說，開啓後來漫畫與立體式山水、人物造型之先河。後又入遷江夏縣。終因得罪大府家奴，頂撞上司，被誣判獄不公，降二級調用處分，被免去知縣，令監河工三年，馳驅於安陸、家山、天門、長陽、沙市間。又以天旱水淺，不能運石出山，撤去差使，時已六十歲。後又起贖為當陽知縣，一八一三年（嘉慶十八年），他六十三歲時調任巴東知縣，又以判獄忤湖北巡撫韓葑，被革職流放至温州羈管。這樣，他從六十五歲起就一直住在温州。初至温州時，得到同族曾立亭的幫助，暫住曾氏别墅依緑園的入畫樓，後在其園附近寶庵橋旁古榕樹下營築小屋，名其地為『小西湖』，靠賣字畫為生。一八二〇年，清道光皇帝即位，大赦天下，他也在其列，時已七十歲，他本打算籌措回原籍，因盤纏無着落終於老死温州。從其《雙魚圖》款署『八十老人曾道士畫』、印文『八十書畫』中可知，他八十歲時仍在世，算起來在温州住了十五年多，卒年無考。他對自己誤入仕途，晚年恨嘆不已，曾在自著的《小豆棚》『賣菜李老』一節後寫道：『余作秀才時，不肯教書，嘗以筆墨遨遊齊魯間，久之為當道諸公内記室。歲得束脯百餘金，臘底言歸，一家八口，從無卒歲之虞。鄉薦後，心羡仕途，遂一行作吏，薄書鞅掌，僕僕塵埃，回憶曩昔襟期，不啻霄壤。』

二、曾衍東的書畫藝術

曾衍東歷經乾、嘉、道三朝，社會由鼎盛日漸式微，官場腐朽没落，人民生活困苦，階級矛盾日趨尖鋭。他身為小官吏，社會經濟和政治地位較低，故能長期接觸勞動人民，體恤、同情勞動人民。他的經歷與『揚州八怪』中的鄭板橋、李鱓有相似之處，又長期生活在湖北、浙江一帶，從思想與書畫藝術上無不受到『揚州八怪』的影響，在書畫創作上亦有獨到之處。遺憾的是這位優秀的藝術家，生前死後均未能得到應有的重視，有關他的書畫藝術方面的著録極匱乏，僅見如下簡要載録：

項震新在《小豆棚·叙》云：『（曾衍東）工詩文及書畫，尤精古篆，筆墨豪放不羈。』

彭左海在《小豆棚·傳》云：『（曾衍東）性落拓不羈，工詩及書畫，筆墨狂放，大致以奇怪取勝。鐫圖章，摩古出奇。』

俞劍華《中國美術家人名辭典》曾衍東條，集《孟容畫識》、《甌雅》諸書云：『工書及篆刻，善人物、花鳥、粗筆焦墨，别饒逸致。』

他的書畫作品傳世不多，茲就幾幅作品中，窺其書畫藝術之一斑。

《鍾馗圖》，係以書法作畫，神情貫注，一氣而下，縱横灑脱，不可一世，被海外著名畫家蔣彝先生譽為『一幅動人的書畫并用的範例。』并置於其著作之卷首。此幅持劍鍾馗，仰首自得，似有所為，其慷慨豪邁之氣，從目視、鬚張中可見精神，全幅上下四圍寫滿大篆、行草、隸書相合成之怪體書法，形成書畫合璧、各臻奇妙境地，實為難得之傑作。全文主要説明鍾馗原係一物，後竟訛為驅鬼之神。兹譯於下：

『顧寧人謂：今世所傳鍾馗，乃終葵之訛，其説本於楊用修、郎仁寶二人。仁寶《七修類稿》引以《北史》，魏堯暄本名鍾葵，字辟邪。意葵字傳訛，而捉鬼之説所自此也。用修《丹鉛雜録》云：唐人戲作《鍾馗傳》，虛構其事，如毛穎、陶泓之類，蓋因魏堯暄名鍾葵，又字辟邪，遂附會其説。又宗懿妹名種癸，後世因又有鍾馗嫁妹圖耳。按《周禮考工記》：大圭終葵首注：齊人謂椎曰葵，圭首六寸為椎，以下殺。《説文》：大圭長三尺，杼上終葵首，為椎杼上，明無所屈也。《禮記·玉藻》：天子搢珽注亦同云云。是用修之説，較仁寶更詳矣。恁是鍾馗山終葵辟邪之訛，總屬有因，而大圭之終葵何以轉為人名之終葵，殊未見確解。顧寧人乃引馬融《廣成頌》：揮終葵，揚玉斧，謂古人以椎逐鬼，如大儺之執戈楊盾。此説近之，蓋終葵本逐鬼之物，後世以其有辟邪，遂取為人名。流傳既久，又忘其為辟邪之物，而意其為逐鬼之人，乃附會真有其人耳。至唐人作《鍾馗傳》，出自

《天中記》，引《唐逸史》之説，五代時，有楊鐘葵、李喬、慕容皆以名字，則貪目鐘進士，食鬼之説盛行可知，甚至朝廷每歲暮以鍾馗同日歷賜大臣，劉禹錫亦有《代杜相公謝賜鍾馗曆日表》，宋神宗得道子逸本，因鏤版賜二府，然則訛謬之沿，非一日矣。』

《蔬果圖》是他經常的命題，也是畫家繪作對象人格化的特徵，如松、梅以喻高潔，蔬、果以喻清香。此幅蔬果圖現藏河北省博物館，用筆簡潔，右上角繪瓢兒菜一株，中間腐乳一盤，武昌魚、猪肉各一，下面畫二笋三蕈，清新自然，也是人們日常生活的寫照。故其自題云：『瓢兒菜、武昌魚，南山蕈味笋何如，先生饜食更求足，添一塊媚猪腴腐方諸。』還有吴昌碩於一九一五年的題畫詩云：

『魚肉蔬笋旁，割去一瓮酒。
令人興不歡，奈此饞涎口。
老曾畫中隱，我却酒中仙。
不飲畫不成，抱一抱圓天。』

以為這麽好的蔬菜，唯缺瓮酒，喻老曾為『畫中隱』，説自己是『酒中仙』，題詩很有風趣。附款云：『一亭先生珍藏，囑吴昌碩題句。幸教正，時乙卯長夏。』可知此畫原為著

名書畫家王一亭（王震，號白龍山人）先生所珍藏。

《蒼山行旅圖》，私人藏。此圖繪蒼山之旁，兩橋夫抬一旅者，側有一隨從，左上題云『或安而行之，或利而行之，或勉强而行之，及其成功一也。』意即坐者為『安而行之』，而轎夫與隨從則為『利而行之』、『勉强而行之』。以此喻世，人生無不都在行途之中，極富哲理。畫中四人，雖以漫筆為之，但姿態生動，各臻其妙。上有閑章，為：『一俗士正直無高向』，下鈐印為：『曾衍東印』、『七如道士』。此圖為其流放温州後作，寫的是雁蕩山之一帆峰旁。曾氏自謂：『七如道士作山水，隨意點染，不多着筆。然必實其境地，某山某水，不肯虛空摹擬。』

他的繪畫題材廣泛，正如他自己一方閑印所謂『老曾無所不畫』。甚至乞丐、天聾地啞都是他的畫材，他曾繪《乞丐圖》并贊曰：『討飯街頭喚，破衣爛裳狗咬慣。狗兮狗兮，勢利一般。』他繪畫還有怪癖：『人索我畫，我却不畫；人不索畫，我偏要畫。』人們以為他是一個終日瘋瘋癲癲的怪道士，他怕人誤解其為黄冠者流，作《道士解》云：『道非道外道，士乃七十士。』

他畫怪、字怪，題詩也怪，受『揚州八怪』的影響，屬非正統的文人畫一派。多以書法

入畫，不拘法度，追求簡率，淡泊、超脱的韵致，為通才型書畫字。他的書法從唐楷入手，兼習篆隸行草與北碑，熟諳小學。他善於融諸體於一爐，得之於心，應之於手，入神化境，卓犖不凡。《廣印人傳》云：曾衍東『工書及篆刻』，其篆刻師法秦漢，不同時俗。他的題畫詩很多，也很有趣味。如《題畫魚》云：

『四月鰣魚三月鯿，漁人打網不嗜鮮。
携來城市换柴米，剩幾多文是酒錢。』

又云：

『七如道人畫一魚，我所欲也求自如。
滑滴溜溜拿不住，瀟湘圖本水天虛。』

《題蜻蜓》云：

『小小蜻蜓翅似紗，被誰羈絆被誰拿。
幾時解脱青絲扣，飛遍東籬賞菊花。』

《題蘭蒲》云：

『一盆蒲草一盆蘭，説與先生仔細看。

只是相親共臭味，同鄉況且又同官。」

對於『怪』的認識，他在題畫中亦有所解云：

『羅兩峰在京師作《鬼趣圖》，當時題咏頗多。此老胸中正不知包藏若干鬼鬼怪怪。若余之為畫，不過眼前逐日所見，平平常常，日用間事，無不可畫，不比矜奇立異。欲層見疊出，亦非易。』又云：『甚矣人情之好怪也！因怪以求，而人情反見怪不怪，塾欲我今作畫之不怪，而人之視今畫，轉於不怪之怪而怪其所怪。如此之怪，何可以不好？吾故曰：「是於兩峰之《鬼趣圖》更進一解矣。」』也叙述了他創『今畫』論的現實意義，為我國今後漫畫之發展起到了鋪路石的作用。

三、曾衍東的詩文余事

『五年筆墨《古榕草》，半世功名《小豆棚》。』（見《古榕雜輟·自苦》）這是曾衍東對其著作的自評。他的主要著作有筆記小説《小豆棚》十六卷，抄本《七道士詩集》二册，手稿册頁《長日隨筆》一册，刊本《啞然絶句》和《七如題畫小品》各一册，詩集《古榕雜輟》等傳世。

《小豆棚》一書十數萬言，以《聊齋》的筆調，記一些奇談怪事和民俗雜聞，但也不全是這些，還以寫實的筆觸，記擅指畫的高其佩（號且園）與以渴筆作畫的孔衍栻（字石村），還專為鄭板橋寫逸傳，他對這些畫壇怪傑是以欽佩的心情來寫的。對書內自以為精彩的章節之後則添短論和『七如氏曰』的評語。該書文筆老辣，內涵豐富，在當時即膾炙人口。讀之，不僅可破悶消閑，亦能豐富人生閱歷，或可彌補史料之不足。

《古榕雜輟》則是他流落在温州時的詩作，也有一些散曲，大多是生活的寫照，不乏清新風趣之作，如他寫晚年居住在『小西湖』近旁之景，就很悠然：

『小小西湖卜一廛，紫闌鎮日許高眠。
懶於筆墨辭天冷，怕見交遊擇地偏。
門外將軍大樹立，窗前美女一峰懸。
夜來又聽排場雨，好上橋頭看曉煙。』

雖是窮困潦倒，仍然樂觀自得，把門外的古榕戲稱『將軍』，把窗前的松臺山喻作『美女』，寫得情景交融，饒有風趣。

他還擅撰聯語，有題黃鶴樓聯云：

『樓起未時原有鶴；筆從擱後更無詩。』

對他在温州的陋室則自題聯云：

一、持冠自昔曾騎虎；閉户於今好畫龍。

二、白晝鐃人聽説鬼；青天扯淡坐濃陰。

寫出了一生的慨嘆。好在他謫居温州時，近鄰有一位書畫家、奇人，名叫項維仁，由於志趣相投，結成至交，二人都能書善畫，擅作詩詞。性情一樣，容不得半點虚偽，都不懼淫威，耻供官役，寧折不撓。項維仁拒為閩浙總督作畫竟逃避外方，他很欽服曾衍東，曾作《懷友詩》四絶，以歌之，兹録其二於下：

『野色更無山隔斷，奇人忽被風吹來。
相逢一笑較臂録，峨嵋入手藜花開。
彼岸登來閲歷深，康衢還向寸心尋。
寄身人海茫茫裏，珍重冰淵慎履臨。』

曾氏一生坎坷，生活如在『冰淵』裏，恐怕這也是他自稱『冰父山人』的緣故吧。曾衍東也有詩以贈項維仁：

『郡人齊説項，我亦與知交。
不倦時談話，防喧每避官。』

有知友的交往，及相互的唱和遂不致寂寞以終，也總算是不幸中之幸矣。

注：《甌雅》十六卷（今作二十五卷）清陳舜哲著，嘉慶時人。善詩、書、畫。《孟容畫識》，近代馬毅著（字孟容，浙江温州人，一八九〇年生，一九三二年卒，曾任上海美專教授，工書畫，為馬公愚之兄）

參考資料：

一、朱烈編：《鹿城文史資料》第十輯內：《晚年流落温州的曾衍東》一文
（一九九六年十二月温州市鹿城區政協文史會印）

二、曾衍東著：《小豆棚》
民國二十四年六月（一九三五）上海大達圖書供應社出版

說明：此文與高朝英合作，原載二〇〇二年《文物春秋》第一期。

附錄一：曾衍東年表

周金冠撰

曾衍東（一七五一——一八三一？），山東嘉祥人，為宗聖曾子六十七代孫。字青瞻，一字七如，號鐵道人，又號七如道人、七道士，也印署七如居士、冰父山人等。坎坷一生，致力於詩、書、畫的創新，創《今畫》論，實啓後來漫畫與立體式山水、人物造型之先河，是一位狂怪而傑出的書畫家。

一七五一年　辛未　清乾隆十六年　曾衍東生

自謂：其五世祖為明末的曾宏毅（字泰東）是宗聖曾參的六十三代嫡裔，他為曾參的六十七代孫，故自詩《七道士解》云：『我是曾子裔，家在聖人州。』

父曾尚渭，歷任大同縣丞、福建汀温鹽官，廣東保昌與三水縣丞、博羅縣令，又任廣東南雄、潮州知府。故其早歲隨父於宦途中渡過。

一七七〇年　庚寅　乾隆三十五年　二十歲

就學於當時著名學者袁春舫執教的庚嶺道南書院。

一七七四年　甲午　乾隆三十九年　二十四歲

父母均客死關外，他奉梓歸葬山東故里。即以種蒜苗為生。

之後終以文名，傳布齊魯，改業教塾。

在嘉祥城中北街山後築新居名『小豆棚』。書室稱『雨絲草堂』和『桂馥書屋』。

一七八〇年　庚子　乾隆四十五年　三十年

自謂作秀才後，不願教書，遂為『當道諸公内記室。歲得東脯百餘金，臘底言歸，一家八口，從無卒歲之虞。』

一七九二年　壬子　乾隆五十七年　四十二歲

中舉人。但會試落選，自謂『在邊外四年』。即在遼寧、吉林兩省考察遊歷，并曾至黑龍江之寧古臺（即寧古塔）。

一七九五年　乙卯　乾隆六十年　四十五歲

是年九月，完成筆記《小豆棚》的撰寫，自序云：『平日好聽人講些閑話，或於行旅時見山川古迹人事怪異，忙中記取；又或於一二野史家抄本眷録，亦無不於忙中翻弄。』他博采旁搜，輯成此書，原書為八卷，後人分類編次為十六卷。

一八〇〇年　庚申　清嘉慶五年　五十歲

按清乾隆十七年的規定，會試後擇選應考三次不中的舉人，入一等者以知縣試用，入二等者以教職銓補，稱舉人大挑。

是年，他以大挑一等先授湖北北部某縣知縣，不久調任咸寧縣。

一八〇六年　丙寅　嘉慶十一年　五十六歲

是年二月，代理湖北江夏令。因得罪某大府家奴，頂撞上司，被誣判獄不分，受到降二級調用處公，免去知縣，令監河工三年。

一八〇八年　戊辰　嘉慶十三年　五十八歲

撰成《啞然絶句詩》，為手寫木刻。半葉六行，行十二至十五字不等，皆七言絶句，每首連題共四行，一葉得三首，凡七十七葉，計詩二百四十首，自序云：『七如詩句多不成話，却又好笑，以其不成話，便當覆瓿，因其多好笑，擱在巾箱，捨不得遭蹋他了。久之成堆，公然一集，古云，下士聞道大笑之，不笑不足以為道。』

其年夏還撰有《七如題畫小品》，為手寫刻本，自序云：『花不如葉，妻不如妾。別種風情，令人喜悦。姑妄言之，妙於篇什。豈不俗話，雅士摭拾。』

一八一一年　辛未　嘉慶十六年　六十一歲

監河工期間，馳驅於安陸、京山、天門、長陽、沙市等地，竟以天旱水淺，不能運石出山而被撤去差使。

一八一二年　壬申　嘉慶十七年　六十二歲

起贖為當陽知縣。

一八一三年　癸酉　嘉慶十八年　六十三歲

調任巴東知縣，以獄忤湖北巡撫韓葑，被革職流放温州羈管。

一八一五年　丙子　嘉慶二十年　六十五歲

初至温州，得同族曾立亭之助，先住其家依緑園之入畫樓，後在其園附近寶庵橋畔古榕樹下築小屋，名其地為『小西湖』，并賦詩云：

小小西湖卜一廛，紫關鎮日許高眠。
懶於筆墨辭天冷，怕見交遊擇地偏。
門前將軍大樹立，窗前美女一峰懸。
夜來又聽排場雨，好上橋頭看曉煙。

雖已窮困潦倒，仍然樂觀自得，以門外的古榕為『將軍』，把窗前的松臺山喻作『美女』。從此靠賣畫來維持生活。在陋室前自題楹聯：

持冠自昔曾騎虎，閉户於今好畫龍。（其一）
白晝饒人聽説鬼，青天扯淡坐濃陰。（其二）

以示慨嘆。并與近鄰書畫家項維仁相交，二人詩、書、畫均精，兼互唱和，性情一樣，容不得半點虛僞，不懼淫威，恥供官役，寧折不撓。

一八二一年　辛巳　清道光元年　七十一歲

道光帝即位，大赦天下，他也在其列，因籌措不到盤纏，只得仍羈留温州，自嘆云：

地遠無人識，年高多病生；
怪風吹發鑒，炎日煉詩情。（《羈情》）

一八三一年　辛卯　道光十一年　八十一歲

繪《雙魚圖》，款署：『八十老人曾道士畫，』印作《八十書畫》，可見八十歲猶在，卒年無考。

一生著作僅見《小豆棚》、《啞然絶句》、《七如題畫小品》，還有手抄本《七道士題集》一册及手稿《長日隨筆》一册。《清光緒嘉祥縣志》卷三載其尚著有《武城古器圖説》。

附：《小豆棚》版本考

有手抄本六卷(缺兩卷)，還有殘本僅存四、五卷，此兩種手抄本均藏存温州圖書館。

光緒六年(一八八〇)年項震新整理本分十六卷，早期兩種，其扉頁一種署『申報館仿聚珍板式重印』，另一種署『上海申報館仿聚珍板印。』兩種排印版式相同，均為每面七十二行，每行二十四字。後者改正前者若干錯字，其刊印時間當稍晚。這個點校本以扉頁署『申報館仿聚珍版式重印』者為底本，有些錯字據申報館另行校改。有的據手抄本為底本校改。

徐正倫、陳銘以手抄本為底本，校訂《小豆棚選》，有顯係誤植的錯字則加以改正。

民國二十四六月(一九三五)由上海大達圖書供應社出版標點本十六卷一冊。

一九八七年後由荆楚書社出版南山點校本《小豆棚》。

一九九六年後由杜貴辰標點出版新刊《小豆棚》。

附：清《光緒嘉祥縣志》卷三所載：

『曾衍東，字七如。舉人。(乾隆壬子科舉人)任湖北江夏知縣，撫民育士著循聲。工書善畫，得之者無不拱璧珍之。著有《小豆棚》、《武城古器圖説》。』

今人陸萼庭在《清代戲曲家叢考》中謂：

『曾衍東，字七如，山東嘉祥人。……做過湖北江夏知縣。……被流放到温州，後來遇赦，又貧又老，回不得家鄉，竟死在温州。詩文詞曲之外，還工書畫篆刻，我的一位朋友藏有曾所作人物畫册，筆墨粗重簡括，約略有近代人的漫畫風格。』

附錄二：七如題畫小品

嘉祥曾衍東七如氏著

序

花不如葉，妻不如妾。别種風情，令人喜悦。姑妄言之，妙於篇什。豈不俗話？雅士摭拾。

嘉慶戊辰夏五月　曾衍東自識。

近今七如作畫，為時樣服色，頗覺生動。如對眼前人，親其顔笑。翻以峨冠博帶之人，皆成古昔衣冠，恍恍惚惚，并不若當面活相有趣。久之，畫無不今，而『今畫』之名遂立。嘻！今之畫猶古之畫也。蕭山陳鷺門贈余印章曰：「不薄今人。」

漁洋山人《秋柳》詩為海内絶唱。百年來，文簡騷壇樹幟，予不獲親炙，每想象其為人。作《鵲橋柳色》，畫一人微髭科頭着素葛衫，手持白箑，帶眼鏡，立橋欄上，旁多疏條上下。方子柳湖見而悦之，以《滋惠堂帖括》一部易去。

余在鄂城被議後，館於南樓下，屋後有水一窪，中多魚蝦。春雨生尺，便有罟人得鱗如錦，撥剌入手。余憑檻得售，佐治晚餐，用飽老饕。適李君躍滄持紙索畫，即圖是景，并題數語於上。

畫鮒魚鯿魚兩尾貽陳惺齋曰：『四月鮒魚三月鯿，漁人打網不嗜鮮。携來城市换柴米，剩幾多文是酒錢。』

余『今畫』印章甚夥。今之畫，畫眼前人，求現在佛，從俗時樣。畫獨創一格，當代衣冠，現身説法，似曾相識。幸不為鑒賞家所鄙。

昔之視今，亦猶今之視昔；一切兒女啼笑、米鹽零雜等等皆入畫品；變化前人之法，遺貌取神；本來面目，妙妙。以上皆友人所贈也。

余創作『今畫』，自以為前無古人。偶於友人處拾得此册，雍正癸丑姚大銓所畫，亦瓜子在瓤，點法皆各異樣。為琢齋友携去，即貽襄陽大瓢十個潤筆。

余畫見賞者頗夥，入裝潢家，市中便終日營營來觀，不離門户。尤見重於閨閣，往往典釵鬻畫，如其不獲，甚至泪盈闌干，可怪也。余大、三女日侍丹鉛，許各以百畫為他年奩資，未知此願能遂否。

畫訓蒙贊：先生老，蒙童小。六七人，忙不了。古廟中，書聲早。

畫戲法贊：不知是假，不見是真。弄假成真，神乎其神。

畫猴戲贊：沐而冠，掩面；不自照，見形容。

畫屠人贊：食肉人，要肉肥；殺猪人，要猪壯。成佛無難，屠刀快放。

畫乞丐贊：討飯，街頭唤。破衣爛裳，狗咬慣。狗兮狗兮，勢利一般。

畫剃頭修脚贊：大家樂事，商量好做。不若二公，各自顧各：一個是頭，一個是脚。

霍晏齋太守索畫，為畫蟹二臍走葦蘆間。其一大如箕，舒爪伸螯，躍躍欲動。其一小者如拳，用焦墨為之，鉗脚皆縮，若伏翼然，最是可喜。太守深賞之。時在丙寅秋杪。

七如道士作山水，隨意點染，不多着筆。然必實其境地，某山某水，不肯虛空摹擬。緣七如足迹天下一十五省，泛江航海，登五岳而上四山，他人不能也。

羅兩峰在京師作《鬼趣圖》，當時題咏頗多。此老胸中正不知包藏若干鬼鬼怪怪。若余之為今畫，不過眼前逐日所見，平平常常，日用間事，無不可畫，不必矜奇立異。欲層見叠出，亦匪易。

甚矣人情之好怪也！因怪以求，而人情反見怪而不怪，孰若我作今畫之不怪，而人之視今畫，轉於不怪之怪而怪其所不怪。如此之怪，何可以不好？吾故曰：是與兩峰之《鬼趣圖》更進一解矣。

兩峰畫鬼，未必不是搗鬼。七如畫人，真是確有其人。兩峰則《拜月》《西厢》，化工也；七如畫工，《琵琶》也。兩人優劣自在，七如不敢斷。

舊墨舊紙仿舊畫，以其光芒盡斂，火氣全無。似七如之今畫，便不當用古墨。殊不知七如『今畫』，其用筆高簡，必須舊墨舊楮，方見蒼秀，覺眼前人真似林逋、魏野，典型在望，而深山有道之儀容，何必求諸千載百載而上，竟不在春容函丈間耶？

岩栖幽事，謂墨多麻，與石青研不得細，俱用耳垢少許彈入，余畫『今畫』人物，諸色可不設，獨石青不能少。

頳石以吾鄉靈岩産堅硬者良，楚中亦産，總以色淡為佳。用時投膠，不用時撇膠。

今畫雖係亂頭粗服，亦有細致處。

劉東亭謂：七如畫人，點點戮戮，氣韵生動，出乎天成，意趣有余，逸品也。

淮南品味如豆腐者，從未經人畫過。昨於小幅中，偶寫一老翁擔一擔，對面一人持筐，青蚨用綫穿，數文朗朗可查。蓋買此淡物，正不必季子多金也。余友周子築東拿去。

畫梅題詞：前村報道，山下梅花笑。戴一頂羊皮帽，騎一個驢兒偏拗。行過了板橋西，走了些蚰蜒道。冷清清、孤零零，香香、妙妙。説着走着，不覺的丁東來到。

畫蘭，插酒壺中；寫石，安辛臼上；芭蕉樹底卧一媚猪；老頭巾坐萬卷書，静吸淡巴菇，皆未經人道過。

曾畫一龍，盤石上數匝，垂着閉目而卧，尾掉水中，波濤洶涌欲起，一時岳峙淵停之象，神與俱往。——卧龍圖。

『今畫』之外，間作古衣冠，皆優孟耳，如傳奇某出，或於便箋素册偶一為之，可以卜笑，亦可以惹駡。大凡詩文書畫，能動人便好，最怕是隔靴搔癢，麻木不仁之作。

人生快樂事，取諸身者約止四端：剃頭、取耳、修脚、洗澡。余常作此等畫，觀者以為於此中得少佳趣。

從來挨打受笞，未有不以為苦而反以為甘者。古之孝子，大杖猶走也。獨閨房威撲，轉覺恬然，莫不喜悦以待暴怒。余謂之家有祥刑。往往圖畫以貽知交，或題『栲栳』等隱語於其上。

寫意古瓶插翎枝，下盤朝珠一串，隨筆圈成，亦是『今畫』中一品。

畫人物衣折，古法不苟，棗枝折帶，種種名色，繁簡陰陽，各有師承。近日冷枚變法，以設色空出折痕。余之所作，不必如是。信筆蘸色，或焦或濃，或空不空，無所謂法，自然轉折成紋，可以有衣無折，亦可以有折無衣，山人不能主之也。

樹木樹幹，了無樣法，但看枝上如何長，我便如何畫。至若魚刺繩頭，攢三聚五，一概抹煞。惟春夏秋冬存其景耳，幸不為名流所鄙。

天下事無過情，畫理亦然。用筆時不必求工，便得其自然之妙。所以竭忠盡歡，連筆墨上都用不去，聖人的話，包括最廣又最細，一理通，百理通。

一日畫多少畫，日日畫多少畫，此等畫必不佳。一日不見畫，日日不見畫，此人畫必佳。何也？神在畫而不在形，即『五日一水、十日一石』之意。

人索我畫，我却不畫；人不索畫，我偏要畫。這宗性情，大概天下古今畫畫者莫不皆然。追原其故，畫乃陶我之情，非為人役者。

畫今人不可太工，太工則俗；不妨少野，少野則秀。不必畫山水而望去便是山水，中閑適雅尚之容，清如鶴，妙似仙，無半點市井氣為煙霞之玷。一切行立坐卧，觀望侍從，皆出凡想。否則一幅行樂圖，奚足重輕。

畫今畫人物，雖曰寫意，如草書較楷書為難。若張旭之狂草，我則不敏。但落筆時以意為之，一筆二筆，令其天趣宛然，實有千百筆所不能寫出者。嘗見高且園畫一緯帽老官疾走如飛，筆真狂草，翔舞活潑，技至此矣！是册在羅田尹陳望山行館快睹一過。

柴扉藤罩，石蹬草埋，瓦屋斷鱗，壁墻龜坼，於極蒼莽中畫一今人徙倚其間，最有生動之氣。更於雪景作皮帽羊裘，尤妙也。

以破筆畫梧桐屋舍，極為古雅。中有肥客，戴靉靆鏡，讀《山海經》，位置絶佳。畫補堂。

吾輩消閑，無過看書，尤妙作畫。看書是古人已辟之境，作畫是我心獨覺之路，更上一層。所以百忙中亦樂此不疲也。

腹有牢騷，提筆而謗隨之。惟施之於畫，則人我胥忘，即某山某水，一樹一石，何容心焉？

夫人之於畫，能畫人所皆畫，亦能畫人之所獨畫。我能畫人之所不畫，而人終不能畫我所獨畫。今畫也，人所不畫也，我畫之而已矣。

前人為畫，各自成家，故其筆墨皆有天趣。今人為畫，傍人門户，故其境界盡入凡想。吾見前人之畫若抒藻，觀時人之畫如脱稿。為今畫者，何所取法焉！

畫古畫定須有學問。學問深，自然無俗筆。而畫今畫，又要有閱歷。閱歷久，乃能發新穎。

畫今畫，一切衣服器用，遊戲行之則易，莊重出之則難。我為其難，而不忽其易，如禮樂飲射諸法，皆入今畫之中。噫！知我者誰耶？

一代有一代之制作，一朝即有一朝之人才，況當代衣冠，二百年來古儀軌揚，中外式遵，何可令後之人徒深愾想，不獲逢躬之盛，彷彿其雍容劍履耶？余作『今畫』，則從周之意云爾。

余畫如阿成將軍之校閱，福貝勒公之駁打，富良秦中丞之操演鑾牌，以及三五九人之機銃，一百支之索矢，無不紀勝圖功。彰我朝武略，以備采訪後來，豈僅空留粉本紙上談兵而已！

今畫於我心有三境焉：始則雜然陳，繼而嬌然異，終乃適然常。夫適然如常者，非不於雜陳之後而呈其矯異之撰，斯進而有得矣，是為造境。

畫人吸淡巴姑，其一人作對火狀，一人吸煙，又一人持管搖箑，向裏走去，俗所云飯後緩行是也。題末二句云：『從此不需跨闢谷，呼吸煙火便神仙。』貽符曉峰。

曰龍曰龍，何不夭矯於雲天？而乃辱在泥塗，懵然蘿然，若有所俟。豈曰南陽諸葛之敝廬，號懶雲子，其猶龍乎？——賀康侯題予《臥龍圖》，即貽之。

余為與庵陳司馬畫數人在土墻下象局，有怒者，有笑者，有袖手觀者，有若索物者，有吝藏不與者。何也？為奪車故。嘻！其爭也、君子。

余差次福田築閘，題扇與易輔堂芍藥花云：『三月春深閘未成，大官懊惱小官驚。請看婪尾風光老，却寫豐臺好發生。』自題扇畫菊花蜻蜓云：『小小蜻蜓翅似紗，被誰羈絆被誰拿？幾時解脱青絲扣？飛遍東籬賞菊花。」

西疇老人常言：『士有假書於人者，必熟復不厭；有陳書盈幾者，乃坐老歲月。是以白屋多崛起，膏粱易偷惰。』——題《假書圖》一則。

嘗畫一小兒斂容危坐，旁則羅屋列瓦，如設俎豆，此正比揚子以《法言》，僭《論語》以《太玄易》，當時獨不顧長者見之呼呼不已哉！

嶺南謂村市為『虛』，柳子厚《童區寄傳》云：『之虛所賣之。』又詩云：『綠荷包飯趁虛人』。余畫一街衢，兩行米斛肉案，魚秤柴挑菜籃，嘈雜攘攘，數十人相征逐，題曰：『趁虛圖』，即吾鄉『趕集』也。

釋惠洪《冷齋夜話》載柳子厚詩，『欸靄一聲山水綠』。欸音『奧』，世俗分為二字，誤矣。書《春江欸靄圖》後正字。

馬方泰司馬以畫換畫。余畫一人徙倚竹下，旁一僕持魚尾，若待所命。題五字曰：『冷官魚上竹』，蓋謝逸詩。馬大喜攜去。

余蘸破筆淡墨，為方田七十老人畫一株松作壽意，其針皆復出。按《癸辛雜志》：凡松葉皆復股生，世以為松釵。非余偽作。故學者貴格物，亦適然與恰合耳。

『今畫』中人物，發辮斷不可少。然一辮之微，有大有小，有老有少，有黑有白，又有半白者，又有髡半者，有卷起如髻，或盤在額頂，又或斜見撅出，以及隱於領緣，挽諸衫袖，種種變幻，總不一例。若直拖一筆黑條，則索然無趣味矣。

人問七如先生：『今畫有藍本否？』曰：『有。』曰：『何所？』曰：『嘗走南北官道，當暑熱軟塵匝地、車馬倥傯之際，忽憩草店，觀其壁上印刻兒童婦女嬉戲織作，紅綠粘滿，飽看一回而去，這便是我的畫譜。』

人問余曰：『先生每作一畫，必有奇想，總與旁人立意不同，此等心思，從何處得來？』余曰：『不必設想，因境作畫，即是因心作則，總要使畫不縛筆，自爾筆能生畫。何境何心，不在目前，就從「空即是色，色即是空」演出。』

畫一枯僧打坐，旁數行云：『龍牙才禪師開堂於天寧，有僧問：「德山棒臨濟喝。」答曰：《蘇嚧頌》云：龍牙答話只蘇嚧，借問諸方會也無？昨夜虛空開口笑，祝融吞却洞庭湖。」』

畫茗帚羅漢，書云：『老尊在日，比丘鈍根，無多聞性。佛命：「茗帚」二字，旦夕誦之。言「茗」則「帚」，言「帚」則「茗」，每日刻責。一日能言二字，得無礙下中。』

《梓橦文昌君天聾地啞像并題》：『天聾地啞，蓋文昌不欲以人之聰明盡用，故假聾啞以寓意。且夫天地豈可以聾啞為哉？大概是這個意思。』

丙寅，寄畫一幅與洪子石門。構一草堂，青山當户，流水在左，兩人對飲，是談時事，便以大白浮之也，使不得言。

曾作寒苦書生，破杓半瓢，敗籍雜遝滿前，書坡公《志林》：『顏子簞食瓢飲，其為造物者費亦少矣，然且亦不免於卅二歲。使顏子更吃得兩簞食二瓢飲，當更不活得廿九歲。然造物者即支盜跖數日祿料，足為顏子七八十年糧矣，但恐顏子不要耳。』此幅不知何人持了去也。

每畫鴨，多在水中，覺畫於地上，便令人煩躁。諺曰：『鴨寒下水』，豈如清涼散耶？又曰：『鷄寒上距，鴨寒下嘴。』在水，鴨之性也；寒，誤矣。坡老詩：『春江水暖鴨先知。』是如何瀟灑。

嘗畫一石，峭立如人，頭銳若椎髻。噫！有情者人耶？無情者石耶？畫石而猶人者，其有情而無情耶？然無情而有情者，腐草為螢，陳麥化蝶；有情而無情者，婦人化為石。是畫石而為婦人，如上望夫之山，有情畫耶？無情筆耶？吾不得而知之矣。

畫，未有畫死人者。余作《醉人圖》，酒後揮拳，杯盤狼藉，幾榻傾倚，斗狠之狀，各極其態。其一人倒卧地上，雖曰不死，豈不痛哉！

燈下觀書有眼鏡，因是晚年目眩。今施諸畫，覺把卷看書，有這副眼鏡在鼻骨上，便得靜觀之神。

余畫草不工，一切衣服器具點景，皆任意可為。獨於人物點睛時，必用新穎佳墨，方能稱事。否則滿幅不佳，全神走脱矣。

萬物之靈，莫靈於人。人物之盛，莫盛於『今畫』。畫今人是畫活人，自有神。畫古人是畫死人，徒有形。非今畫，則人果不活，而古畫之人，便是死相。由人心而生之，亦由人心而死之，故今畫占便易。

古君子有隱於屠狗者，此中不大有人在耶？屠中人呼之欲出，固一世之雄，何必放下屠刀，定要立地成佛？

畫士云：喜則畫蘭，怒則畫竹。辰下公私交近，鬱鬱不得遂意，適王子皆堂持扇畫竹，作枯枝數竿，頗覺蒼秀而勁。以余所聞，殆非虛語。

又嘗作肥瘦、美丑、長短各樣人物，一紙錯雜不倫。題云：『堅土之人肥，墟土之人大，砂土之人美，耗土之人丑，此造形者宜乎土。若太平之人仁，丹穴之人智，太蒙之人信，崆峒之人武，此秉氣者因乎地。』

書《醉人圖》後：『晉劉伶好酒，人喻以釀具先朽，勸之勿飲。答曰：「君不見肉得糟而更耐久耶？可以勿戒。」』

居家大都無所事事，持長竿敲針作鈎，足以消此一日。謝玄與兄書，謂：北固山下，秋來大有鱸魚，一手釣得四十九枚。如此便好作畫。

《宣和畫譜》載，唐李漸畫馬，筆與氣調，今古無儔。及見《三馬圖》，與所聞甚不逮，然有一種神韵，不可以形似求之也。此畫，法且園道人意，而豐神正不敢與唐人方駕耳。
為岳丹崖畫於便箋上。

蜀楚巫巴之間，緣江皆峭壁，高不知幾千百由旬，虛無縹緲，舟中抬頭彌望，風帽可落。余畫石壁飽帆，尺幅上下，不多數筆，便是黃茅黑石景象。江夏李步雲明經乞余作。

岱山石屋與八仙洞相連，澗石如壘卵，；嵐氣松風，沾染襟袖，峭拔凰空，牽千百仞，皆神工削成。樹生岩阿，撐空上不見天。偶一摹畫，用大青濃墨，力透紙背，狂寫一通。南昌張子山叫絶，因以贈之。

危危日晝猫，可以避鼠。余如其日不驗。甚矣假不可為也！紙虎嚇人，狎而玩弄之，奚怖焉？此畫在孟鶴泉處。

詹湘亭令天門，作《七丐圖》贈其行，并長章云：『世人畫畫畫神仙，否則美女爭取妍。我筆丑惡無豐采，又恐效顰於時賢。畫此藍褸皆丐流，疲癃殘疾更邋遢。為聾為啞非家翁，街頭賣卦張三瞎。脅肩壘若不諂笑，背上嬌娘如花枝。蓮花蓮花梅花落，濁酒斜陽醉爛泥。天工缺限人工補，民胞物與將無同。七如之畫仁者心，窮人告以顛連通。茅檐日日在座隅，此心欲共筆俱傳。揮余墨力滿空山，三復《西銘》益惘然。』湘亭大喜，瀕去，贈予四十餅金。抵官後，循聲著，捍水築堤，捐廉不遺余力，民稱之，謂其堤曰詹公畫。今畫者引領下風，有榮施焉。

陳大兄善，署潛江，瀕去，欲予畫作《撫嬰圖》貽之，亦題長篇云：『空山無人靜讀書，十年醇養為真儒。太平出仕一命榮，民物在抱將何如？蚩蚩者氓啼饑寒，原同孩提待鞠育。盡日垂簾撫字勤，乳乳孳孳遂兒欲。假寒就濕親生母，疴癢相關呱呱聲。三年不免父母懷，安可浚削剥其生。雉方雛兮蝗不入，道旁牛卧虎渡河。庭可張羅草滿窗，韭葱自奉酒不聞。古來多少好縣官，我輩作邑豈無情？不事才氣矜奇敏，但如慈母愛兒行。只今畫作《撫嬰圖》，相期大家頌循良。桑麻樹畜老幼多，都看明府來潛江。』陳治一年，政聲大作，聆聽之轟耳。嘻！携余畫而之任者，莫不稱最，是余之今畫亦有功於政學耶？

《菜蔬圖卷》，真西山曰：『民不可有此色，士大夫不可不知此味。』家蔬數品，盡可供餐，何必寄人籬下，借其肉食肥濃，昏我性體？言之汗下。

畫瘦馬貽張刑曹溟洲，并作《瘦馬行》一章書其上：『大宛曾從西北來，一群汗血追風逐電呈天材。匹練吴門千萬里，真為昌頓寶駝駷。君不見將軍搴旗執桴驅長蛇，千軍辟易奔灰頹，快足飛馳立大勛。又不見白馬長史在邊疆，指揮如意騁驍黄。鍾代之折齒至腸。憑空飛躍逾津梁。一日桃林牧放去，年年加長精力藏。水草不給無供養，官厩隔絶奔荒山。世無九方誰相憐，鹽車躑躅泰岱前。但念死骨市幽燕，黄金高臺是何時？從見死馬埋秋嵯，猜誰一顧再三顧？名同齊景無譽稱。傷哉瘦馬為之臨，一筆一泪憂心焚。余年今亦四十七，老之將至悲吾生。馬兮馬兮悲吾行。』

蓮之用宏，且其名廣，曰荷，曰芙蓉，曰菡萏，曰紅蕖，曰藕花。而花而實，而根而房，而干而須而心，更無不雅宜，故今畫中不能少。今作數莖，亭亭玉立，不啻在鵲山湖上，古歷亭邊，葦塘小艇，泊如也。

七如畫石，南部有飛來峰、飛來石，皆山之寄於他山者。蓋不知其飛自何年，來從何地。造物之設亦奇，况海上浮來，雲中隕落，更是不可思議，而化工之筆，乃能離合風雨，供諸幾硯間耳。為沈南屏畫。

畫一時下閑散人抱琴拂拭之狀，曰：『我有一張琴，高挂不善撫，那是陶征君，知音自千古。』

童顔鶴發，勾背垂腰，健步如飛，直達荒徼，瑶池西下，扶桑東道。矍鑠哉！是翁也。

若慭遺一老，以八百歲為春之長，以八百歲為秋之高，遐矣羲皇之上，居諸河濟之郊。伊何人耶？百二老兒，摇手莫道。為汶上張老人祝嘏畫贊。

余畫本不好，兼之要索錢鈔，更是不成皮氣。然亦有可諒處，余早年窮寒，借此營生，可免造孽；中歲入官，無需孳孳阿堵，而一種不畫拒人，傲睨惡謗，借一索價，遮掩過去。不知者以為居奇也，其知者以為待聘也，有何不可。第習慣成性，有錢便畫得好而且快，無錢就畫得不好且慢，余亦不能自主，呵呵！

我畫不徒畫，而詩不待詩，故作溪贈我印章云『詩因畫得，畫以詩傳』也。又有句云：『前人曾以詩傳畫，我意翻將畫作詩。畫里詩同詩里面，一般神趣少人知。』

《嶺南花果譜》，先君子向在粵時閩汀上官請畫，後為孝泉張太守携去。余近今補畫一册，亦為今畫新色，如仙人掌、木棉樹花、宜母果、檳榔、椰子、黄皮果、薄桃、蕉子、扶桑花、桄榔穗、朱竹、辟火蕉、波羅蜜、油葱、蓬生果、番荔枝、番石榴、人面果、洋桃、頻波果、柚子、密羅柑、鐵樹、烏欖、鐵蕉葉、棕竹、珍珠蘭、素馨重臺、洋茉莉、山丹花、金鳳花、水瓮菜等等。若荔枝龍眼，更不待言。

『今畫』人物，如粵之黎瑶寒老、男婦衣飾，多所未睹。余在粵往往見一二種，偶為涉筆，大都不離尉陀魋結者是也。

七如畫畫不要人要，故無乎而不畫。人有所不畫，則有所不要之人。無乎而不畫，則無人不要之畫。近今小畫家亦有仿余亂畫者，殊覺丑惡陋劣，是罵七如混賬杭子矣。

武昌咸寧，民情健訟，而學校秀才包訟，名曰『包户』，與官為仇，豺與虎争食同。余理訟後政暇，遇此等人輸款案上，隨意書畫大忠大孝古語、人物形象，或扇或紙，貽之皆忻然而散。在咸寧一年，訟幾乎息，而包訟之人多擱筆閉户，懸余書畫，終日不預他人事，或携家而遠徙者，是又書畫之有政也，豈獨書畫云乎哉！去咸五年，尚有余家坪求畫者。

人物鬼神生動之物，全在點睛活，活則有生意。宣和畫院工以生漆點睛，然非要訣。又或以藤黄夾墨，濃加一點作瞳子，還要參差不齊，余師此意，妙法也。

邇來畫手難言墨妙，但寫形似，略無精神，故士大夫目為賤者之事，不屑稱道。殊不知胸中無萬卷書，目飽前代奇迹，又車轍馬足半天下，如趙千里、蕭照、李唐、李安、吴澤之數子者，如何下筆？

畫無筆迹，非謂墨淡模糊而無分曉也，如善書者藏鋒，用椎畫沙印泥耳。其藏鋒在執筆沉着痛快，人能知執筆之法，則知畫無筆迹之謂。我於執筆，略知一二，故敢創作今畫。

人物如尸似塑；花果類瓶中所插；飛禽走獸，但取皮毛；山水林象，模糊遮掩；屋廬高大不稱；橋彴强作斷形；山脚無根據；水源無來歷，余於此數病，力正其謬。

作畫之法，本不一途，總要命意立局，各有主見。余畫多不宗古人，觀者幸無妄議論使我為之氣短。可存則存，如不合式，則請覆瓿可耳。

附錄三：曾衍東傳世書畫作品簡錄

作品	年代	收藏
瓶梅圖軸	嘉慶十一年（一八〇六）	江蘇揚州市博物館藏
鯰魚圖軸	嘉慶十八年（一八一三）	見上海博物館《中國書畫家印鑒款識》
墨筆山水畫	道光四年（一八二四）	見仝上
行書軸	道光七年（一八二七）	見仝上
鍾馗圖軸		私人藏
迎春圖卷		北京中國文物總店藏
松鶴圖軸		浙江嘉善縣博物館藏
蔬果圖軸		河北省博物館藏
墨竹圖軸		河北省博物館藏
隸書軸		河北省博物館藏
行書軸		仝上
梅花人物軸		見上海博物館《中國書畫家印鑒款識》
山水冊		仝上
竹石圖軸		仝上
雙魚圖軸		仝上
擔菊圖軸		仝上
七言聯		仝上
歡天喜地圖		浙江温州市博物館藏
墨竹圖		仝上
魚圖		仝上
墨龍圖		仝上
山水圖		仝上
行書冊頁		浙江温州市博物館藏
蒼山行旅圖軸		私人藏
六甲靈飛圖軸		普林斯頓大學博物館藏
驢背詩意圖		普林斯頓大學博物館藏

時樣人物卷　私人藏
山水畫　臺灣故宮博物院藏
梅花　見一九二四年西冷印社《金石家書畫集》
柴米油鹽圖　臺灣青碧軒藏
秋江平遠圖　臺灣青碧軒藏
數家臨水白自成村　臺灣青碧軒藏
書齋清供　臺灣青碧軒藏
生風之扇　臺灣青碧軒藏
鵬程萬里　臺灣青碧軒藏
平沙落雁　臺灣青碧軒藏
菜根有味　臺灣青碧軒藏
盲者歌（四條屏之一）　臺灣青碧軒藏
敲木鐸（四條屏之一）　臺灣青碧軒藏
變戲法（四條屏之一）　臺灣青碧軒藏
惜字紙（四條屏之一）　臺灣青碧軒藏
鍾馗嫁妹長卷　上海私人藏
放浪形骸（扇頁）　見古吴軒《名家藏扇集》

附錄四：曾衍東舊藏端石地硯拓本

黃任墜研原形拓本

研身有七如居士之珍及百硯室刻款知為曾衍東許修直舊藏黃氏自刻銘詩五行款署乾隆癸未三月莘田黃任名下有十研一印並經許氏鑽墨題跋世事變遷原物流散此拓得以傳形亦存於人間之孤本也研銘五言長詩一首以美人肌膚譽之端石上品地中老坑故名地研

二〇〇二年五月史樹青

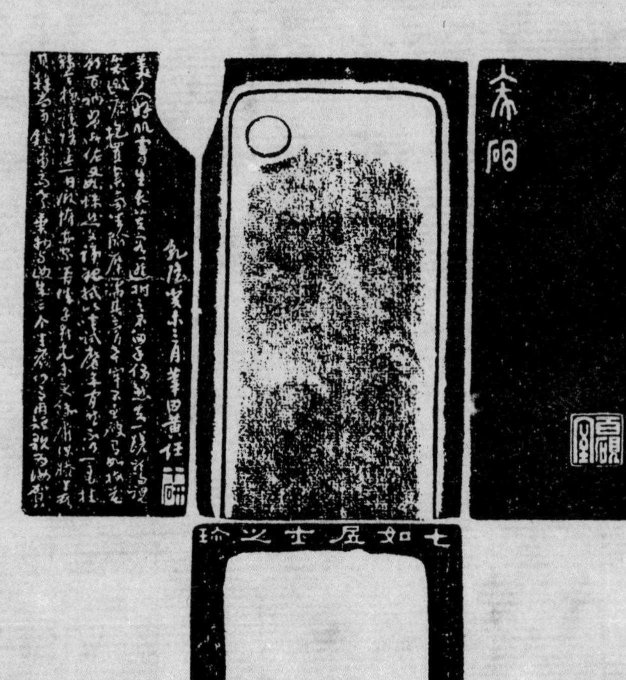

黃莘田氏為有清一代藏研家精者此墜硯尤為十研軒中絕品鐫文奇古黃氏自鐫識亦至寶物余於甲子季得於杭肆拓贈

仲木仁仲大方家

丁丑九月修直識於海上